天气
变变变

雪

[英]哈里亚特·布朗多 / 文　　[英]德鲁·林图 / 图　　王珏 / 译

南京师范大学出版社
NANJING NORMAL UNIVERSITY PRESS

目录

粗体字请参见
第24页词语表

雪

天气很冷的冬天，有时会下雪。

雪
摸上去
冰凉冰凉！

如果天气够冷，雪就会在地上堆积起来。

雪是怎么来的?

温度降低的时候，天空中的水蒸气凝结成冰，就形成了雪。

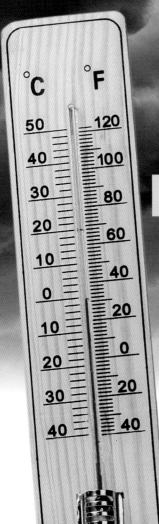

气温要降到 **0摄氏度**，水才可能会结冰。

无数的雪花从天空中飘落——啊，下雪啦！

雪花

雪和季节

一年有春、夏、秋、冬四个季节。

春

夏

冬

秋

8

每年的一月、二月和十二月是冬季。

冬雪

冬天是最寒冷的季节，也是最有可能下雪的季节。

冬天里，阳光照射的时间比别的季节都要短。

雪天穿什么？

下雪天很冷，我们要穿保暖的衣服，也要戴上手套，让双手暖暖和和的。

手套

雪地靴可以让我们的
双脚保持温暖和干燥。

植物

很多植物因为不能在冰雪中存活，一到冬天就冻死了。

不过，有些地方的冬天并不是特别冷，所以人们会在土里种下一些植物的球茎。等到来年春天天气一转暖，这些球茎就会生根发芽。

球茎

动物

寒冷的冬天，有些动物会冬眠：它们会找一个安全的地方，睡上整整一个冬天。

有些动物生活在终年积雪的地方。北极熊生活在北极附近，它们身上厚厚的皮毛特别保暖。

北极熊

雪化了

当阳光照在雪地上，温度升高了，雪就会开始融化。

雪融化后会变成水，有的渗进泥土，有的会在地面形成一个个小水洼。

和雪一起玩

我们可以在花园里堆雪人！

别忘了
给雪人安上
眼睛、鼻子
和嘴巴哦！

在滑溜溜的雪坡上滑雪橇，真是太好玩啦！

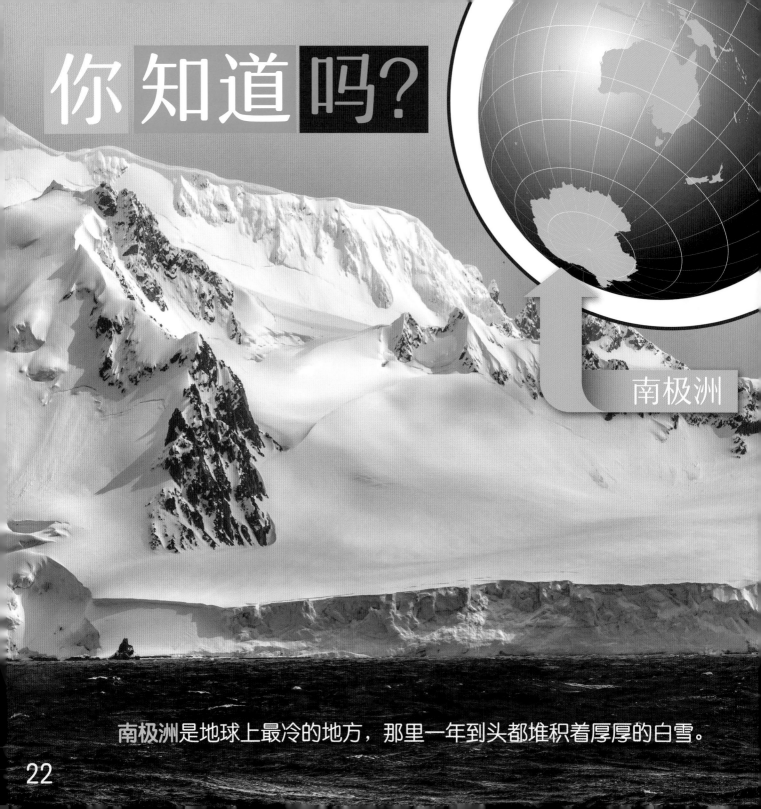

你知道吗？

南极洲

南极洲是地球上最冷的地方，那里一年到头都堆积着厚厚的白雪。

雪是由一片片雪花组成的。
每一片雪花都很独特。

世界上
没有两片
一模一样的
雪花。

词语表

摄氏度：用来衡量温度的单位。

球茎：长在地下的茎，形状像球，可以发芽长出新的植物。

冬眠：蛇、刺猬等动物以睡觉的方式度过冬天。

南极洲：地球上最南端的大陆，那里很冷，终年积雪。

索引